TUPÃ TENONDÉ

Kaká Werá Jecupé

TUPÃ TENONDÉ

A criação do Universo, da Terra e do Homem
segundo a tradição oral Guarani

EDITORA
PeirópoliS

Editora
Renata Farhat Borges
Coordenação editorial
Rosania Mazzuchelli
Preparação de originais e revisão
Mineo Takatama
Foto Contracapa
Egberto Nogueira
Projeto gráfico
Estúdio Criatura

Editado conforme o Acordo da Língua Portuguesa de 1990.

Dados Internacionais de Catalogação na Publicação (CIP)
(Câmara Brasileira do Livro, SP, Brasil)

Jecupé, Kaká Werá
Tupã Tenondé: A criação do Universo, da Terra e do Homem segundo a tradição oral Guarani / Kaká Werá Jecupé - São Paulo: Peirópolis, 2001.
ISBN 978-85-85663-51-3
Bibliografia
1. Cosmogonia 2. Homem - origem 3. Índios Guarani
4. Terra - origem 5. Tradição oral

I. Título. II. Título: A criação do Universo, da Terra e do Homem segundo a tradição oral Guarani.

00-5075 CDD 398.2098

índices para catálogo sistemático:
1. Guarani : índios : Cosmogonia : Tradição oral 398.2098

2ª edição – 4ª impressão, 2023

EDITORA
Peirópolis

Rua Girassol, 310F – Vila Madalena
05433-000 São Paulo SP
tel.: (11) 3816-0699
vendas@editorapeiropolis.com.br
www.editorapeiropolis.com.br

FSC
www.fsc.org
MISTO
Papel produzido a partir de fontes responsáveis
FSC® C169512

Dedico esta obra a Cunhã poty

Ara kañy rire, ara pyaú ramove
cheé, yvyra'ikãgã amoñe'ery jevy va'erã
amoprõ jevy va'erã ñe'eng,
e'i Ñande Ru Tenondé.

A'e ramo katu, yvypo amboae
kuéry tupã ramo oó va'erã;
ekovia, jeguakava tenondé yvy
rupa jave i re opu'ã va'erã.

Depois de fundir-se o espaço e amanhecer um novo tempo,
eu hei de fazer que circule a palavra-alma novamente
pelos ossos de quem se põe de pé,
e que voltem a encarnar-se as almas,
disse nosso Pai Primeiro.

Quando isso acontecer
Tupã renascerá no coração do estrangeiro;
e os primeiros adornados novamente
se erguerão na morada terrena por toda a sua extensão.

(Profecia da nação Guarani do clã Jeguakava,
narrada por Pablo Werá no início do século XX)

SUMÁRIO

Prefácio

Para tornar-se pajé

Não nasci Guarani, tornei-me.

Minha família veio de um clã Tapuia de autoestima cultural destroçada e valores fragmentados. Nasci em São Paulo, na borda das últimas matas da zona sul, ao lado de uma aldeia Guarani. Meus pais queriam que eu sobrevivesse, e naquela altura isso significava comer da cultura "branca" correndo o risco de sacrificar a "vermelha". O tempo e a Mãe Terra me nomearam Guarani – fiquei sendo Werá Jecupé – por meio do cacique Guyrá Pepó da aldeia Morro da Saudade. Ali aprendi as "nossas palavras formosas" com o meu padrinho, Alcebíades Werá, pajé centenário.

Em meados da década de 80, ainda na aldeia Morro da Saudade, quando trabalhava num projeto de resgate cultural Guarani do professor Karaí Mirim e do cacique Guyrá Pepó, vi chegarem alguns exemplares de um livro chamado *Aspectos fundamentais da cultura guarani*, de Egon Schaden, e trechos xerografados de *Ayvu rapyta* ("Os fundamentos da linguagem humana"), de León Cadogan. Logo procurei meu padrinho Werá, pois aqueles fragmentos me chamaram a atenção, já que eram parecidos com os ensinamentos que havia aprendido em torno das fogueiras e sob as noites estreladas. A partir dali, o velho Werá me iluminou muitas outras partes desses ensinamentos.

Os depoimentos contidos naqueles escritos também eram da linhagem das palavras-almas de Tupã Ru Ete, pois vinham dos antigos Pablo Werá, cacique Che'íro e Kachirito, segundo seu relator, León Cadogan, que havia sido nomeado Tupã Kuchuvi. Ao reparar essa qualidade dos relatos, passei a estudar profundamente a sabedoria vinda de Tupã Tenondé. E, como um beija-flor, busquei o néctar das flores anciãs de sabedoria em muitas aldeias de sul a norte.

Dez anos mais tarde, depois de muitas peregrinações, fui convidado para fazer uma palestra na Universidad Católica, no Paraguai, sobre "A Terra sem Mal" e lá encontrei uma pessoa cha-mada Sara, cujo marido, Guillermo, estudioso de música étnica, conhecia, estudava e ajudava periodicamente a aldeia Guarani do Guairá. Por meio desse casal conheci outras partes do manuscrito deixado por León Cadogan e aprofundei-me nos registros deixados pelos últimos grandes sábios Guarani do início do século XX. Cada vez mais crescia minha admiração pelo espírito da cultura Guarani.

Neste início de milênio, recebi um convite do Museu do Universo do Rio de Janeiro para apresentar a visão indígena brasileira do cosmos. Logo tive um sonho com os ancestrais Trovões e imediatamente me veio a certeza de para lá levar essas palavras formosas que contam o Universo, a Terra e o Homem de modo profundo e original. Sentia também que era o momento de revelar uma profecia segundo a qual quando o espaço abraçar o círculo do novo tempo

Tupã renascerá no coração do estrangeiro e os ensinamentos sagrados deverão ser divulgados.

Convivo com essas palavras formosas em minhas reflexões há mais de quinze anos – além das iniciações que os ancestrais me proporcionaram – e graças a elas tenho certeza de que me tornei um pouco mais humano. Sei que elas oferecem mais do que a narrativa do Universo de maneira poética; elas podem, como dizem os antigos, abrir caminho para quem deseja tornar-se pajé, ou seja, aquele que conversa com os ventos, o fogo, a terra, as águas. Mas, se elas servirem pelo menos para o homem buscar não somente a cons-ciência do cérebro, mas também a do coração, a tarefa dos últimos Werás, mensageiros de Tupã Tenondé, não terá sido em vão.

Essas palavras formosas são narradas em *abañeenga*, a língua ancestral Tupi. Porém, desse idioma original até os fins deste século há vários dialetos desmembrados, entre eles o Chiripá, o Kaiowá e o Mbyá – além do Guarani paraguaio, que têm gerado muitos estudos e gramáticas diferenciadas. Neste livro, optamos por seguir o caminho de León Cadogan, que fez os primeiros registros e que chama a atenção para o fato de que é um idioma "secreto" entre os próprios pajés e de que muitas vezes não há correspondência entre a fala Guarani dos ensinamentos e a fala cotidiana.

Basicamente, Cadogan seguiu o dialeto Mbyá utilizando como referência a gramática Guarani paraguaia.

Apresentação

As nossas palavras formosas

Durante o estio de um certo dia, um pesquisador de lendas ouviu a seguinte expressão: *"Jasy ra'y ojovahéi hina"* ("A lua nova renova a nossa face"), mencionada por camponeses paraguaios do Guairá, para referir as chuvas torrenciais que às vezes coincidem com a chegada da lua nova. Tal foi a atenção que lhe despertou essa frase, que ele iniciou uma busca da origem desse preceito, ou ditado.

Descobriu ser de origem Guarani e que esse povo desmembrava-se em muitas famílias, que os antropólogos consideravam como etnias diferentes. Como estudava mitos e lendas, acreditou haver muitas e ricas expressões espalhadas entre o povo, pois aquela frase era candentemente poética. Após vários levantamentos e investigações, foi levado à aldeia dos Jeguaka Tenondé, de um lugarejo chamado Yro'ysã.

Depois dos primeiros contatos, passou a visitá-los e procurou obter depoimentos de lendas, fábulas e ditados. No entanto, anos se passaram e nenhuma informação havia conseguido, nem mesmo acerca daquela frase: "A lua nova renova a nossa face".

O povo Guarani é calado, seu cotidiano tem um ritmo tão silencioso que se mescla com os sons dos campos ou das matas que normalmente habita; o silêncio só é rompido à noite, quando se recolhem ao *opy* – a casa de *porã-hei* (cantos-orações) – e põem-se a cantar. Muitas vezes, quando um forasteiro chega durante o dia a um aldeamento Guarani, tem a impressão de estar numa vila abandonada.

Mesmo assim, colhendo apenas olhares silenciosos e um tratamento formal do cacique Pablo Werá, ele continuou suas visitas.

Algo daquele povo o encantava.

Durante muitos anos, o pesquisador havia atendido a diversas solicitações da comunidade em relação a questões da cidade. Assim, certa vez o cacique aproveitou uma visita dele para pedir um favor: um membro da aldeia havia sido preso como mendicante nas ruas de Asunción, simplesmente porque usava trajes rudes e por causa de sua etnia. O buscador de lendas, valendo-se de suas relações com a universidade e os órgãos oficiais de educação, logo se prontificou a ajudá-lo. Tempos depois conseguiu libertar o cidadão da aldeia de Yro'ysã.

Como retribuição, Pablo Werá pediu ao seu povo que sempre que esse forasteiro fosse à aldeia lhe contassem todas as fábulas que conheciam.

E o pesquisador nunca ouviu tanta história após esse incidente!

A amizade entre eles estreitou-se. Em muitos momentos de relações conflitantes entre índios e não-índios, León Cadogan – era esse o nome do pesquisador – havia-se tornado porta-voz da comunidade.

Um dia, Pablo Werá aproximou-se dele e disse:

"Ainda queres saber o sentido da lua nova?"

León Cadogan tinha até se esquecido da frase que o havia levado até lá: "A lua nova renova a nossa face".

"Como?!", disse ele, meio surpreso.

"Queres conhecer as *'ñe'e porã tenondé'*, as nossas primeiras palavras formosas?"

"Claro, sem a menor dúvida!"

"Para isso, deves acordar o coração. Para acordar teu coração, precisamos nomear-te – celebrar tua palavra-alma – e cantar!"

Foi assim que León Cadogan tornou-se Tupã Kuchuvi Veve, após ter participado do *nimongarai*, uma das cerimônias mais importantes dos Guarani, momento em que o ser é nomeado e o espírito acorda por meio do coração. E somente o ser é capaz de compreender determinados mistérios da vida, principalmente a sabedoria dos ancestrais.

Após tornar-se Tupã Kuchuvi, ele aprendeu as *"ñe'e porã tenondé"* – as palavras formosas primeiras, os ensinamentos sagrados da tradição Guarani.

Muitos anos depois, Tupã Kuchuvi, acompanhado do professor Egon Schaden, da Universidade de São Paulo, voltou à aldeia do cacique Pablo Werá, e este lhes disse:

"Os últimos grandes sábios pajés estão indo embora para a morada dos nossos 'Pais Primeiros'. Existe o perigo de que, ao desaparecerem por um tempo desta morada terrena, as palavras sagradas fiquem esquecidas na fala Guarani, e sem elas a verdadeira cultura ancestral degenera. Um dos nossos pajés disse que mais adiante, quando o espaço abraçar um novo círculo de tempo, Tupã renascerá no coração do estrangeiro. De modo que eu gostaria que registrassem nossas palavras mais formosas, para que, quando nós formos, elas possam acordar os futuros corações."

Essas palavras formosas apareceram pela primeira vez em forma escrita no Brasil em 1953, numa iniciativa da Universidade de São Paulo, na série "Boletins da Faculdade de Filosofia, Ciências e Letras", com o título *Ayvu rapyta* (traduzido como "Os fundamentos da linguagem humana").

Antes disso, em 1946, na *Revista de La Sociedad Científica del Paraguay* eram publicadas, por León Cadogan, "Las tradiciones religiosas de los indios Jeguaká Tenondé Porángue del Guairá, comúnmente llamados Mbyá, Mbyá-Apyteré o K'ynguá".

O povo Jeguaka Tenondé pertence a um clã Guarani que conseguiu escapar das missões jesuíticas, das influências espanholas e portuguesas e, enquanto pôde, dos empreendimentos escravagistas. Havia-se erguido à margem em sua própria terra, o que constituiu um dos motivos para seus membros serem tratados como marginais pela sociedade paraguaia do início do século. Mantiveram-se fiéis aos seus valores mais profundos e, por meio dos últimos dirigentes, prepararam León Cadogan para florescer como Tupã Kuchuvi a fim de que ele pudesse registrar os ensinamentos que aqui estão expostos.

Nas raras vezes em que esses depoimentos sagrados dos últimos pajés Jeguaka Tenondé Porangue foram registrados, acabaram por ficar envoltos em experiências etnológicas e estudos antropológicos. Agora, com a tradução e os comentários das palavras deixadas pelos *tamãi* (sábios), espera-se que o leitor conheça uma visão de mundo e uma prática de vida bem diferentes daquelas que aqui aportaram atravessando as Grandes Águas; se possível, fazer como León Cadogan, aquele que primeiro transcreveu esses ensinamentos: tornar-se um pouco Guarani e acordar o coração para compreendê-los.

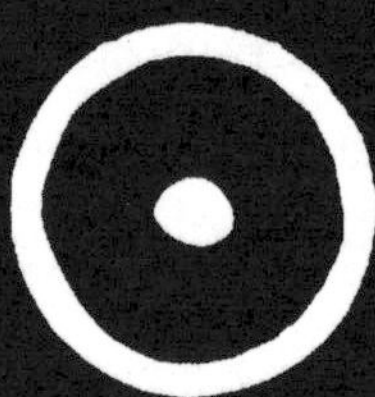

Símbolo milenar que significa *Ñamandu*
(O Grande Mistério, o Imanifestado, o Um)

CAPÍTULO UM

Maino i reko ypi kue

Os primeiros costumes do colibri

1.
Ñande Ru Pa-pa Tenondé
guete rã ombo-jera
pytu yma gui.

Nosso Pai Primeiro
criou-se por si mesmo
na Vazia Noite iniciada.

2.

Yvára pypyte,
apyka apu'a i,
pytu yma mbyte re
oguero-jera.

As sagradas plantas dos pés,
o pequeno assento arredondado
do Vazio Inicial
enraizou seu desdobrar (florescer).

3.

Yvára jeckaka mba'ekuaá,
yvára rendupa,
yvára popyte, yvyra'i,
yvára popyte rakã poty,
oguero-jera Ñamandui
pytu yma mbyte re.

Círculo desdobrado da sabedoria inaudível,
fluiu-se divino Todo Ouvir
as divinas palmas das mãos portando o bastão de poder,
as divinas palmas das mãos feito ramas floridas
tramam o Imanifestado, na dobra de sua evolução,
no meio da primeira Grande Noite.

⊙

4.

Yvára apyre katu
Jeguaka poty
ychapy recha.
Yvára jeguaka poty mbyte rupi
guyra yma, Maino i,
oveve oikovy.

Da divina coroa irradiada
flores plumas adornadas
em leque.
Em meio às flores plumas floresce
a coroa-pássaro
do pássaro futuro,
luz veloz
que paira
em flor e beijo,
que voa não voando.

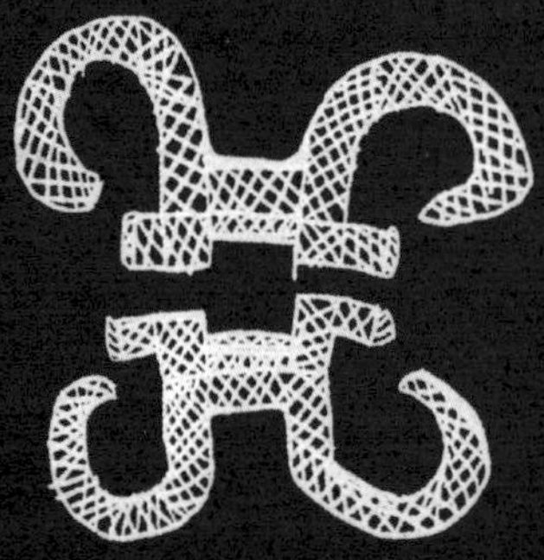

5.

Ñande Ru tenondé gua
o yvára rete oguero-jera i
jave oikovy,
yvytu yma i re oiko oikovy:
o yvy rupa rã i oikuaá eỹ
mboyve ojeupe,
o yva rã, o yvy rã
oiko ypy i va'ekue
oikuaá eỹ mboyve i ojeupe,
Maino i ombo-jejuruei;
Ñamandui yvaraka a Maino i.

Nosso Pai Primeiro criava
futuro colibri, no curso de sua evolução, seu divino corpo.
Existia no entanto em meio aos primeiros Ventos Futuros
como coruja dentro da Noite Primeira
olhava-se, revoando
seu futuro firmamento, sua futura terra,
brisas surgidas
enquanto colibrizava vidas
dos ventos produzidas do Imanifestado que fora:
um colibri.

6.

Ñande Ru Ñamandu tenondé gua
o yva rã oguero-jera eỹ mboyve i,
pytu A'e ndoechái:
Kuaray oiko eỹ ramo jepe,
o py'a jechaka re A'e oiko oikovy;
o yvára py mba'ekuaá py
oñembo-kuaray i oiny.

Nosso Pai, O Grande Mistério, o primeiro,
antes de haver-se criado,
no curso de sua evolução,
sua futura morada,
sustenta-se no Vazio.
Antes que existisse sol
ele existia pelo reflexo de seu próprio coração
e fazia-se servir de sol dentro de sua própria divindade.

⊙

7.
Ñamandu Ru Ete tenondé gua
yvytu yma i re oiko oikovy;
opytu'ui oiny ápy
Urukure'a i omo-pytu i oiny:
omoñendu ma pytu rupa.

O verdadeiro Grande Espírito, o primeiro,
existia diante dos ventos primeiros
de onde ancorava-se no vazio-noite
feito coruja produzindo silêncios.
E fez que se girassem as manifestações de si
diante da noite, vestido de espaço.

8.
Ñamandu Ru Ete tenondé gua
o yva rã oguero-jera eỹ mboyve i;
Yvy Tenondé oguero-jera eỹ mboyve i;
yvytu yma i re A'e oiko oikovy:
Ñande Ru oiko i águe yvytu yma,
ojeupity jevy ma ára yma ojeupity ñavõ
ára yma ñemo-kandire
ojeupity ñavõ.
Ára yma opa ramove, tajy poty
py, yvytu ova ára pyaú py: oiko
ma yvytu pyaú, ára pyaú, ára
pyaú ñemokandire.

Antes de haver o verdadeiro Pai, o Uno,
criado no curso de sua evolução, sua morada,
antes de haver criado a Terra Primeira,
existia em meio aos primeiros ventos:
e o Vento Primeiro de nosso Pai
podemos percebê-lo como espaço-tempo,
onde ao fim deste Vento,
nomeou-lhe: época, era, (h)ora.
Orou, arando rios de tempo-espaço,
desaguando novos ventos, os espaços novos,
defloram e florescem
a flor de cada época.

Comentários – Capítulo um

Maino i reko ypi kue

Os primeiros costumes do colibri

Ñande Ru Tenondé, embora seja uma expressão que significa literalmente "Nosso Pai Primeiro", é um dos vários nomes que se atribuem à Suprema Consciência, cujo corpo é o espaço imanifestado e cuja essência manifestada é o ritmo, o Espírito-Música, ou Grande Som Primeiro, também vislumbrado pelos grandes pajés como a Eterna Música, geradora de vidas.

O Grande Som Primeiro – também chamado Tupã Tenondé, expressão desdobrada das palavras *tu* ("som"), *pan* (sufixo indicador de totalidade), *tenondé* ("primeiro, início") – era como no século XVI os Tupinambá tentaram comunicar aos religiosos estrangeiros quando eram interrogados a respeito do conceito indígena de Deus; no entanto, por mais que os *tamãi* tentassem explicar, aqueles que vieram do outro lado das Grandes Águas entenderam somente um aspecto superficial desse Altíssimo Ser-Trovão.

A essência de Tupã Tenondé é Ñamandu, o Imanifestado tecido de vazio e silêncio, que são, na visão ancestral, a expressão máxima do Grande Mistério Criador das Coisas Vivas.

O Vazio que se manifesta como espaço entoa sua vida eterna como vento, música primeira e última, para logo tomar a forma de um fogo-assento, algo como um trono divino, pois a palavra *apyka* refere-se a um banco cerimonial, ornado de símbolos e esculpido na forma de animais, que, em determinadas ocasiões, é usado no *opy*, a casa de orações dos Guarani, por aquele que deseja receber uma cura, enquanto o pajé e a comunidade entoam cantos de louvor à Grande Mãe Terra e ao Pai Primeiro. Para a tradição ancestral o bálsamo de cura mais profundo é a música, o espírito da vida.

Uma vez que os ventos originários deram forma ao fogo-assento, logo aparece o bastão de poder, o *popygua*, o cetro de comando do criador. As metáforas aqui expostas, que surgem das palavras *apyka* (banco-trono) e *popygua* (vara-cetro), extraídas de um verso Guarani, parecem indicar uma influência ocidental, mas vale lembrar que esses versos foram extraídos dos Jeguaka Tenondé, que resistiram ao contato com os espanhóis e com as missões jesuíticas e que afirmam terem vindo de um lar que afundou após um grande levante de águas, ocorrido em tempos imemoriais guardados na história oral. E desse passado antigo, desde antes das "Grandes Águas", os Jeguaka Tenondé ainda preservam os ensinamentos.

Tupã Tenondé apresenta-se como colibri, a grande expressão do sagrado para o povo Guarani, pois é uma das suas primeiras formas de manifestação – o que vê a totalidade a partir dos mundos sutis do espírito. Ainda hoje é sob essa forma ágil que se apresenta um mensageiro divino – aquele que vem da morada de Tupã – quando quer transmitir uma orientação espiritual importante, ou um sinal de proteção, de presença, de indício de caminho correto.

O colibri está presente não só na cultura Tupi-Guarani como também em várias tradições andinas: Inca, Quéchua, Nazca, Aimará. Na região Nazca há um desenho de um colibri no chão de tal tamanho que só pode ser visto do céu, a bordo de uma aeronave. Tal desenho suscita inúmeras inquietações a pesquisadores e leigos desde meados deste século, sobretudo pelo fato de o desenho existir há mais de quinhentos anos.

O colibri traz em seu enredo o significado de ser a própria essência divina primeva, e, de acordo com o pensamento Guarani, cada ser humano tem sua alma-colibri que habita na morada do coração, território de Tupã. Quando a alma-colibri eleva-se ao *apyte*, a flor sagrada que reside um palmo acima da cabeça humana – espaço de Jakaira Ru Ete – inspira e transmite sabedoria profunda.

Os desígnios da coruja

Os Guarani dizem que as corujas que vemos hoje são apenas um pálido reflexo da primeira coruja, aquela pela qual o Criador se manifestou.

Imaginando o vazio como noite e os olhos como espelhos de uma Vida, podemos perceber a manifesta intenção das palavras sagradas Guarani de colocar os olhos de uma coruja observando a noite cósmica.

A coruja simboliza mistério e sabedoria, atributos do Pai-Mãe Criador. De acordo com Werá, da aldeia de Krukutu, em São Paulo, a coruja é a grande veladora da vida noturna, guardiã dos segredos mais íntimos de todo ser.

Ela traz a qualidade da consciência do existir, percebe a existência e seu fluir, que na linguagem Guarani diz-se: *guero-jera, jera, mbo-jera* ("abrir-se, desdobrar-se, desatar-se de si"). O desdobrar das (sete) dimensões sutis e materiais é somente perceptível a esse olho silencioso que ancora no escuro sem temor. O escuro traduz as limitações das percepções que o mundo material proporciona. De acordo com esse olhar, o plano material é apenas um galho da grande árvore da vida. É desse escuro que a coruja vê o Todo-Árvore, um ângulo diferente da percepção do colibri.

Ara yma – O espaço-tempo original

A tradição revela que a natureza repete até hoje a dança da criação macrocósmica para que possamos guiar-nos de acordo com seu ritmo e sua harmonia. São quatro os cantos expressos a partir de Tupã Tenondé: *ara yma* – o caos inicial –, *arapoty, ara pyaú ñemokandire* e *arakuaracy-puku.*

Os quatro cantos do movimento da criação são revelados por meio dos ciclos da natureza, desde que os ventos começaram a soprar desse espaço-tempo primeiro, gerando um inverno, um outono, uma primavera e um verão.

Ara yma, o céu primeiro, é seco e vazio, o inverno original. Ele gesta e brota o desdobramento do tempo e da vida. *Arapoty*, as flores celestes, é a vida em seu nascer. Elas dão passagem a *arakuaracy-puku*, às emanações-mães iluminadas e largas, ao verão, o calor da vida que rompe e realiza o grande dia. A seguir, o *ara pyaú ñemokandire*, os dias novos que se erguem e ressurgem de si mesmos, dando cadência ao tempo quando a vida outona.

Símbolo milenar que significa *Kuaracy*
(A primeira emanação do Imanifestado, Fogo-Mãe, o Dois)

CAPÍTULO DOIS

Ayvu rapyta

Os fundamentos do ser

1.
Ñamandu Ru Ete tenondé gua
o yvára petei gui,
o yvára py mba'ekuaá gui,
o kuaa-ra-ra *vy ma*
tataendy, tatachina oguero-moñemoña.

Nosso Pai Imanifestado, verdadeiramente o Primeiro,
de uma pequena porção de sua própria divindade,
da sabedoria contida em sua própria divindade
e em virtude de sua sabedoria criadora,
fez que se engendrassem chamas e tênue neblina.

2.

Oãmy vy ma,
o yvára py mba'ekuaá gui,
o kuaara-ra-ra *vy ma*
ayvu rapyta rã i oikuaá ojeupe.
O yvára py mba'ekuaá gui,
o kuaa-ra-ra *vy ma,*
ayvu rapyta oguero-jera,
oguero-yvára Ñande Ru.
Yvy oiko eỹ re,
pytu yma mbyte re,
mba'e jekuaá eỹ re,
ayvu rapyta rã i oguero-jera,
oguero-yvára Ñamandu Ru Ete tenondé gua.

Havendo-se erguido
da sabedoria contida em sua própria divindade
e em virtude de sua sabedoria criadora,
pariu a essência da palavra-alma
que viria a expressar-se: humano;
da sabedoria contida em sua própria divindade
e em virtude de sua sabedoria criadora,
criou nosso Pai o fundamento da linhagem-linguagem humana
e fez que se pronunciasse como parte de sua própria divindade.
Antes de existir a terra, em meio à Noite Primeira,
antes de ter-se conhecimento das coisas,
criou o fundamento da linhagem-linguagem humana
que viria tornar-se alma-palavra.
E fez o Grande Espírito que se formara parte e Todo.

3.

Ayvu rapyta rã i oikuaá ma vy ojeupe,
o yvára py mba'ekuaá gui,
o kuaa-ra-ra *vy ma*
mborayú rapyta rã oikuaá ojeupe.
Yvy oiko eỹ re,
pytu yma mbyte re,
mba'e jekuaá eỹ re,
o kuaa-ra-ra *vy ma*
mborayú rapyta rã i oikuaá ojeupe.

Os fundamentos do ser foram concebidos
na origem da futura linguagem humana,
tecida da sabedoria contida em sua própria divindade
e em virtude de sua sabedoria criadora
concebeu como primeiro fundamento o Amor.
Antes de existir a terra,
em meio à Noite Primeira,
e antes de ter-se conhecimento das coisas,
o amor era.

4.
Ayvu rapyta rã i oguero-jera i ma vy,
mborayú petei i oguero-jera i ma vy,
o yvára py mba'ekuaá gui,
o kuaa-ra-ra *vy ma*
mba'e-a'ã rapyta petei i oguero-jera.
Yvy oiko eỹ re,
pytu yma mbyte re,
mba'e jekuaá eỹ re mba'e-a'ã petei
i oguero-jera ojeupe.

Os fundamentos do ser desabrocharam-se,
havendo criado de uma pequena porção de amor,
da sabedoria contida em sua própria divindade
e em virtude de sua sabedoria criadora,
e tendo originado um som sagrado
de sua sagrada solidão.
Antes de existir a terra,
em meio à Noite Primeira
e antes de ter-se conhecimento das coisas,
originou-se um som sagrado criado da
bem-aventurada solidão.

5.

Ayvu rapyta rã i oguero-jera i ma vy ojeupe;
mborayú petei i oguero-jera i ma vy ojeupe;
mba'e-a'ã petei oguero-jera i ma vy ojeupe,
ochareko iño ma
mavae pe pa ayvu rapyta
omboja'o i ãguã;
mborayú petei i omboja'o i ãguã;
mba'e-a'ã ñeÿchyrõ gui
omboja'o i ãguã.
Ochareko iño ma vy,
o yvára py mba'ekuaá gui,
o kuaa-ra-ra *vy ma*
o yvára iru rã i oguero-jera.

Tendo a essência do ser, a alma-linguagem, desdobrada
então de uma po(r)ção nomeada amor;
havendo criado em sua solidão sagrada este hino vida,
refletiu profundamente sobre quem multiplicaria de si
essa po(r)ção alma-linguagem futuramente nomeada humano.
Sobre quem faria parte, refletia,
que formas formaria as palavras que comporiam
a essência nomeada (homem!)
deste hino vida (em que lavras lavraria as futuras palavras vivas!).
Havendo refletido profundamente,
da sabedoria contida em sua própria divindade
e em virtude de sua sabedoria criadora,
desdobrou-se criando aqueles que seriam companheiros
cocriadores de sua eternidade.

6.
Ochareko iño ma vy,
o yvára py mba'ekuaá gui,
o kuaa-ra-ra *vy ma*
Ñamandu Py'aguachu oguero-jera.
Jechaka mba'ekuaá reve oguero-jera.
Yvy oiko eỹ re,
pytu yma mbyte re,
Ñamandu Py'aguachu oguero-jera.
Gua'y reta ru ete rã,
gua'y reta ñe'eng ru ete rã,
Ñamandu Py'aguachu oguero-jera.

Havendo refletido profundamente,
da sabedoria contida em sua própria divindade
e em virtude de sua sabedoria criadora,
cocriou os Seres-Trovões de grande coração.
E os fez simultaneamente com o reflexo de sua sabedoria.
Antes de existir a terra,
em meio à Noite Primeira,
criou Ñamandu de grande coração.
Para pai de seus futuros numerosos filhos,
para verdadeiro pai das almas-palavras
de seus futuros numerosos filhos,
criou Ñamandu de grande coração.

7.
A'e va'e rakygue gui,
o yvára y mba'ekuaá gui,
o kuaa-ra-ra *vy ma*
Karaí Ru Ete rã,
Jakaira Ru Ete rã,
Tupã Ru Ete rã,
ombo-yvára jekuaá.
Gua'y reta ru ete rã,
gua'y reta ñe'eng ru ete rã,
ombo-yvára jekuaá.

Em continuação,
da sabedoria contida em sua própria divindade
e em virtude de sua sabedoria criadora,
os Seres-Trovões desdobraram-se:
Karaí Ru Ete, pai dos futuros Karaí;
Jakaira Ru Ete, pai dos futuros Jakaira;
Tupã Ru Ete, pai dos futuros Tupã;
Ñande Ru Ete, pai da futura Ñande Cy,
para que fossem pais verdadeiros
de seus futuros numerosos filhos,
para que fossem pais verdadeiros das
palavras-almas de seus futuros numerosos filhos,
foram desdobrados de sua consciência divina.

8.
A'e va'e rakykue gui,
Ñamandu Ru Ete
o py'a rechéi guãrã
ombo-yvára jekuaá
Ñamandu Chy Ete rã i;
Karaí Ru Ete,
ombo-yvára jekuaá
o py'a rechéi guãrã
Karai Chy Ete rã i.
Jakaira Ru Ete, a'e rami aveí,
o py'a rechéi guãrã
ombo-yvára jekuaá
Jakaira Chy Ete rã i.
Tupã Ru Ete, a'e rami aveí,
o py'a rechéi guãrã
ombo-yvára jekuaá
Tupã Chy Ete rã i.

Em continuação,
o Grande Mistério
para refletir seu coração
fez conhecedora da divindade
a futura verdadeira
mãe dos Trovões Sagrados;
Karaí Ru Ete
fez conhecedora da divindade
a quem refletiria seu coração
a futura mãe dos Karaí.
Jakaira Ru Ete, da mesma maneira,
para refletir seu coração
fez-se conhecedora da divindade
a verdadeira mãe Jakaira.
Tupã Ru Ete, da mesma maneira,
a que refletiria seu coração,
fez conhecedora da divindade
a verdadeira futura mãe dos Tupã.

9.

Guú tenonde gua yvára py
mba'ekuaá omboja'o rire ma;
ayvu rapyta rã i ombo-ja'o rire ma;
mboraú rapyta omboja'o rire ma;
mba'e-a'ã ñe'ỹchyrõ omboja'o rire ma;
kuaa-ra-ra *rapyta ogueno'ã rire,*
a'e kue i py:
Ñe'eng Ru Ete pavengatu,
Ñe'eng Chy Ete pavengatu, ja'e.

Por eles haverem assimilado
a sabedoria divina do próprio Pai Primeiro;
depois de haverem-se tornado nomes;
depois de haverem inspirado da po(r)ção amorosa;
depois de haverem-se tornado ritmos, essências,
letras, palavras do hino universo;
depois de haverem inspirado os fundamentos
da sabedoria criadora;
futuramente nós os chamaremos:
excelsos pais verdadeiros das palavras-almas;
excelsas mães verdadeiras das palavras-almas.

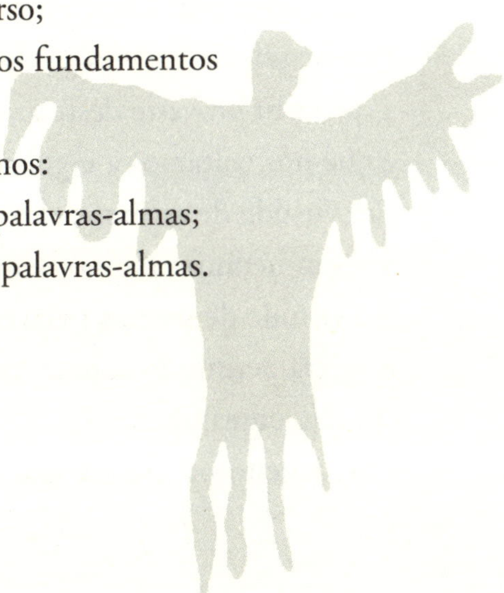

10.
Ñamandu Ru Ete tenondé gua!
Nde yvy py Ñamandy Py'aguachu
o yvára jeguaka mba'ekuaá oguero pu'ã.
Reropu'ã uka ramo ma ne remi
mbo-guyrapa,
ore ropu'ã jevy ma.
A'e ramo ma, ayvu marã eỹ
kurié ramo jepe oguero-kangy
katui vare'y jevy ma ore, yvára
tyre'y mbovy i, ro-gueropu'ã ma.
A'e va re, toropu'ã jevy
jevy, Ñamandu Ru Ete tenondé gua.

Ó verdadeiro início de tudo!
Em sua terra, Ñamandu de coração grande,
se todos e tudo erguem-se simultaneamente
com o reflexo de sua divina sabedoria.
Em virtude de haveres tu disposto que aqueles
a quem tu proveste deste arco-vida se erguessem
é que nós voltamos a erguer-nos.
Em virtude de sermos palavras indestrutíveis
que em nenhum tempo, sem exceção, morrerão,
em virtude de sermos palavras,
nos será permitido cantar repetidas vezes
em diferentes formas,
ó verdadeiro pai Ñamandu, Grande Mistério, o Primeiro.

II.
Mba'e porã vy ma:
"Kuaa-ra-ra *tataendy, tatachina", e'i.*
Ñamandu tenondé gua rãge
a'e va'erã oguero-moñemoña.

Em virtude de sua condição divina:
"Das chamas e da neblina do poder criador",
foste o primeiro Ñamandu
(mistério desvendado por si mesmo)
a quem fez-se engendrar
e como parte de seu ser
desdobrar de si.

Yvy rupa re, jeguakáva porã gue i
jepe, jachukáva porangue i jepe
oikuaá va'erã eỹ: a'e va'e iupitypy eỹ.

Na morada terrena
nem os melhores entre os que levam
a marca do masculino
nem as melhores entre as que levam
a marca do feminino
chegarão a conhecê-lo.

⊙◎

Va'e jepe, oñembo'e porã
añete gua va'épe, mara rami
pa "Kuaa-ra-ra *tataendy tatachina" e'i,*
oikuaá uka va'erã.

De maneira que, sem dúvida,
aos que se dedicam a cantar com beleza a vida
refletirão a Ti, pois és, como dizem:
"Clara chama e misteriosa neblina do poder criador".

A'e vy ma Ñande Ru, o py'a
mbyte mbyte py ñe'engatu
rapyta rã i omboupa tenondé
va'ekue.

Foi em nossa virtude que o nosso Pai
assentou no centro do nosso coração
a origem da excelsa palavra
que originalmente engendrou-se.

Va'é pe ma: "Kuaa-ra-ra
tataendy tatachina", e'i.
A'e vy ma, o py'a jechaka
Kuaray reve omoñembo'y vy ma,
yvy jave re, yva jave re omokañy
a jipói ãguã ete, o'e vy ma oguero-jera
va'ekue pe ma: "Kuaa-ra-ra
tataendy tatachina, yvára Kuaray i",
e'i Ñamandu Ru Ete Tenondé gua.

Nosso Pai e Mãe primeiros,
que também nomeiam:
"As chamas e a neblina do poder criador".
Em virtude de haver-se posto simultaneamente
com a fonte de luz de seu coração em Sol,
para que em toda a extensão da terra e do céu
não houvesse nada que escapasse à sua visão,
aquele que criou
como parte de si mesmo
e em virtude de seu devir
"as chamas e a neblina do poder criador,
o Sol da Divindade",
assim nomeou-se o nosso Pai Primeiro
ainda imanifestado.

Comentários – Capítulo dois

Ayvu rapyta

Os fundamentos do ser

Ayvu rapyta já foi traduzido por Tupã Kuchuvi como "Os fundamentos da linguagem humana". Para o pensamento Guarani, ser e linguagem, alma e palavra são uma coisa só. A palavra *ayvu* expressa o espírito como som vivo, sopro-luz primeiro, aquilo que é eterno em cada indivíduo e que vivifica o corpo e manifesta-se no reino humano sob a pele da palavra, pelo sopro que a preenche.

O espírito-sopro, a vida-luz, que é em essência o ser humano, de acordo com a visão Guarani, desdobrou-se em três: *ayvu* ("espírito"), *ñe'eng* ("alma") e *tu* ("som-matéria, corpo").

A tradição Guarani diz *"ñe'eng"* para designar a fala humana e aplica-o também para o cantar das aves, o chilrear dos insetos, etc. No entanto, dependendo do momento, esse significado se aprofunda: *"ñe'eng"* ganha o sentido de "porção divina da alma", "palavra-alma", assim como *"Ñe'en'g-ey"* é o espírito que os Seres-Trovões (deuses) enviam para que se encarne em um ser que está para nascer, segundo os registros de Tupã Kuchuvi.

Neste capítulo a fala-poema do pajé anuncia a hierarquia divina, desdobrada do Grande Mistério Criador, que viria cocriar o Universo e, sobretudo, o ser humano.

O ser humano é percebido como "alma-palavra" – é o que se expressa mediante a linguagem e por meio do pensamento. Ser e som têm o mesmo sentido. Para essa percepção é necessário ampliar o nosso conceito de som para além da vibração sonora, percebê-lo como corpo-vida, princípio dinâmico da luz cuja forma denominamos "consciência".

León Cadogan, antes de tornar-se Tupã Kuchuvi, disse que havia sido justamente essa a parte que o havia levado a penetrar fundo, durante anos, a fim de compreender a cultura Guarani. Disse ainda que permaneceu seis anos transcrevendo hinos, conselhos, mitos.

Um dia, na aldeia, perguntou a Pablo Werá:

"Se estivesses discorrendo sobre as *ñe'e porã tenondé* (as palavras formosas) e teus netos te perguntassem o significado de *ayvu rapyta*, que responderias?"

"Ayvu rapyta oguero-jera, oguero-yvára Ñande Ru tenondé ñen'ey mbyterã ('O ser fundamenta-se no fato de ter sido desdobrado de nosso Pai Primeiro, o ser fez-se parte da divindade primeira, como medula, palavra-alma, da coluna do Criador').

O Ser emerge do Todo, mas não se desfaz do Todo. Da mesma forma que o Todo se desdobra em dimensões (sete) e mundos (três), o Ser acompanha. No Mundo-Céu, o Ser e o Todo manifestam-se como unidade; no Mundo-Terra, o Ser e o Todo manifestam-se como diversidade; no Mundo-Intermediário, o Ser e o Todo manifestam-se expressando a marca do masculino *(jeguaka)* e a marca do feminino *(jasuka)* e colocando a vida em movimento. Esses três mundos acontecem de modo interdependente e fundamentam o Ser.

As dimensões do Ser vibram em tom de sete notas ancestrais, incluindo-se o silêncio. Essas cordas vibrantes interpenetram-se, gerando a música da vida, totalizando o Ser."

Símbolo milenar que significa *Tupã*
(O desdobramento do Todo, o Três)

CAPÍTULO TRÊS

Yvy tenondé

A PRIMEIRA TERRA

1.
Ñamandu Ru Ete tenondé gua
o yvy rupa rã i oikuaá ma
vy o jeupe,
o yvára py mba'ekuaá gui,
o kuaa-ra-ra *vy ma*
o popygua rapyta i re yvy
oguero-moñemoña i oiny.

O verdadeiro Grande Mistério, o primeiro,
havendo concebido sua futura morada terrena,
da sabedoria contida em sua própria divindade
e em virtude de sua sabedoria criadora,
fez que da extremidade de seu cetro
fosse engendrada a Terra.

Pindovy ombojera yvy mbyte rã re;
amboaé ombojera Karaí amba re;
Pindovy ombojera Tupã amba re;
yvytu porã rapyta re ombojera Pindovy;
ára yma rapyta re ombojera Pindovy;
Pindovy petei ñirui ombojera:
Pindovy re ojejokua yvy rupa.

Criou uma palmeira eterna
no futuro centro da terra;
criou outra na morada de Karaí;
criou também uma palmeira eterna na morada de Tupã;
e na origem dos bons ventos criou uma palmeira eterna;
na origem do tempo-espaço primeiro criou uma palmeira eterna;
essas cinco palmeiras asseguram a vida na morada terrena.

2.

Mboapy meme oi yva;
yva ijyta irundy:
yvyra'i py ijyta.
Yva ituí va'e yvytu py oayña
imondovy Ñande Ru.

Existem sete moradas sagradas,
o céu descansa sobre quatro colunas:
suas colunas são cetros sagrados,
o céu que se estende com ventos
foi empunhado por nosso Pai.

Yvyra'i mboapy py rãge
omboupa ramo, oku'e poteri
yva; a'e rami ramo, omboyta
irundy yvyra'i py; a'e ramo
aé oi endaguãmy, ndoku'e véima.

Havendo colocado inicialmente
três colunas na morada sagrada,
esta movia-se ainda;
assim colocou quatro colunas
de cetros sagrados;
só depois que isso estava no devido lugar,
não se movia mais.

3.

Yvy rupa mongy'a ypy i are mbói
yma i; a'anga i te ma ñande yvy
py ãgy oiko va'e: a'ete i va'e
oime Ñande Ru yva rokáre.

O primeiro ser que se anunciou na morada terrena
foi a serpente ancestral, o espírito da Mãe Terra.
A serpente que agora vemos em nossa terra
não é mais que a imagem dessa serpente primeira
pois a serpente primeira está abaixo da morada-céu do nosso Pai.

Ñande Ru Tenondé yvy rupa
oguerоñe'e ypy i va'ekue
oguerojae'o ypy i va'ekue,
yrypa i, ñakyrã pytã i.

O primeiro ser que cantou
nessa morada terrena do Grande Pai
e que pela primeira vez entoou um som de cura
foi *yrypa*, a pequena cigarra vermelha.

Yrypa yma oime ñande Ru yva
rokáre: a'anga i te ma ãgy opyta
va'e yvy rupáre.

A cigarra vermelha primeira que está
abaixo da morada sagrada do nosso Pai
é somente uma imagem que vive na morada terrena.

⊙◎◎

Y-amaí ko yja, y-apo are.
Ñande yvy py oi va'e a'ete
Ve eỹ ma: a'ete va'e oime
Ñande Ru yva rokáre; a'anga
i te ma ãgy ñande yvy py
oiko va'e.

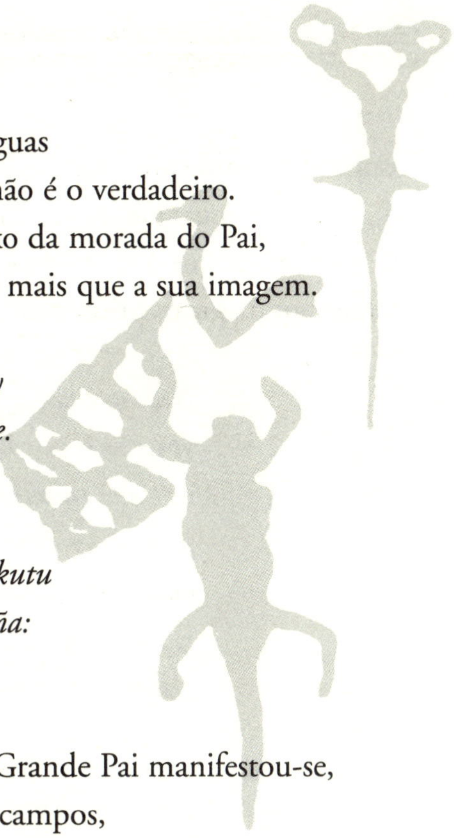

Y-amaí, o senhor das águas
que existe nesta terra, não é o verdadeiro.
O verdadeiro está abaixo da morada do Pai,
e o que aqui vive não é mais que a sua imagem.

Ñande Ru, yvy ojapóvy, ka'aguy
meme araka'e: ñuú jipói araka'e.
A'e rami ramo, ñuú rupa rã re
omba'apo va'erã tuku parãrã i
omboú. Tuku parãrã i guevi oikutu
i ague, kapi'i rembypy i oñemoña:
a'e gui mae oiku ñuú.

Quando a essência do Grande Pai manifestou-se,
antes de haver matas e campos,
fez gafanhotos verdes
revoando pradarias,
cravando as extremidades dos campos.

Ñuú ogueropararãrã, oguerochiri
tuku parãrã i. A'ete va'e Ñande Ry
yva rokáre ma oime: ãgy opyta
va'e a'anga i te ma.

Engendrando futuras matas por meio
dos chiados encantados,
os gafanhotos que aqui vemos são apenas
a imagem daqueles primeiros.

Ñuú ojekuaá i ma vy, ogueroñe'endu
ypy i va'ekue, oguerovy'a ypy i
va'ekue, inambu pytã. Inambu pytã
ñuú ogueroñe'endu ypy i va'ekue,
oime ãgy Ñande Ru yva rokáre:
yvy rupápy oiko i va'e
a'anga i te ma.

E quando apareceram os campos
os primeiros a entoná-los com cantos
para celebrar sua aparição
foram os inambus vermelhos.
Mas esses inambus que agora vemos
são apenas a imagem dos primeiros.

Ñande Ru yvy rupa omboaí ypy
i va'ekue, tatu i. A'ete va'ẽy
ma tatu i ãgy reve oiko i va'e ñande
yvy py: a'e va'e a'anga i reí te ma.

Nosso Pai para conhecer as
profundezas desta terra fez-se tatu.
Os tatus que vemos hoje são reflexos
do nosso Pai Primeiro.

Pytu ja, Urukure'a i,
Ñande Ru Kuaray, ko'e ja.

A Senhora da Noite é a coruja,
reflete a sabedoria do nosso Pai, Sol do amanhecer.

4.
Ñande Ru Tenondé oñemboyvaropy
pota; a'e rami ramo, kórami ijayvu:
"Ndeé aé, Karaí Ru ete,
tataendy ñeỹechyrõ re, mba'eve
oupity eỹ va'erã ano'ã va'e,
remoñeangarekóta nde ra'y,
Karaí Py'aguachu. A'é vy ma,
emoñeenói 'Karaí Tataendy ja', ere.
Oñeangareko va'erã tataendy ryapu rã re;
ára pyaú ñavõ emboguy
uka i tataendy ñeỹchyrõ, tataendy
ryapu oendy ãguã jeguakáva jeayú
porangue i, jachukáva jeayú porangue i."

Nosso Pai, ao recolher-se nas profundezas
de sua morada, assim entoou:
"Somente tu, Karaí Ru Ete, Fogo Pai Verdadeiro
das inúmeras chamas inacessíveis em que me inspiro,
farás vivificar por meio delas teus filhos, os Karaí valorosos.
Por isso faze que eles se chamem também
'Os Senhores das chamas'.
Eles velarão todos os que hão futuramente de
produzir o ruído do crepitar das chamas.
A cada primavera florescerão fileiras de chamas
como desdobramento de ti, Karaí Ru Ete:
e florescerão as bem-amadas chamas
que levam a marca do masculino
e as bem-amadas chamas
que levam a marca do feminino."

⊙◎◎

A'e va'e rakykuégui, Jakaira Ru Ete py:
"Néi, ndée reñeangarekóta tatachina
ñe'engatu rapyta rã i re.
Cheé jeupe aikuaá va'ekue re emoñeangareko nde ra'y,
Jakaira Py'aguachu. A'e vy ma, emoñeenói:
tatachina ñe'engatu ja rã i, ere nde jeupe."

"Amigo cocriador", entoou o Pai Primeiro a Jakaira Ru Ete,
"tu que te manifestas como neblina, substância, brisa,
que engendras inspiração por dentro das palavras.
Fruto que concebi em minha solidão,
terás também muitos filhos, os Jakaira de grande coração.
São os que se chamarão futuramente senhores da neblina,
do vento, das palavras inspiradas de ti mesmo, Jakaira Ru Ete."

A'e va'e rakykuégui, Tupã Ru Ete py aipo e'i:
"Ndeé reñeangarekóta Para Guachúre,
Para Guachu rakã a'e javi re. Yvára ñemboro'y rã ano'ã
uka ta ndevy. Va'e re ke, nde ra'y Tupã reta py'aguachu rupi
mba'e ñemboro'y eraauka jevy yvy rupa re,
ñande ra'y jeayú porangue i pe,
ñande rajy jeayú porangue i pe."

"Amigo cocriador", entoou o Pai Primeiro a Tupã Ru Ete,
"tu terás a teu cargo o extenso mar
e seus ramos e rumos em sua totalidade.
Eu farei que tu te inspires e expires águas e trovões do frescor divino.
E tu enviarás repetidamente à morada terrena os futuros
Tupã de grande coração, aqueles que fluirão o frescor da fonte
para os nossos bem-amados filhos,
para as nossas bem-amadas filhas."

5.
Ñamandu Ru Ete tenondé gua
yvy rupáre jeguakáva apyre i pe,
jachukáva apyre i pe arandu porã
ogueroyvyy uka ta ma vy,
Jakaira Ru Ete py aipo e'i:

O Grande Mistério Primeiro,
estando por fazer descender à morada terrena a boa ciência
para as gerações que levarão a marca do masculino
e a marca do feminino,
disse a Jakaira Ru Ete:

6.

"Néi, tatachina rãnge i emboupa
ñande ra'y apytére, ñande rajy apytére.
Ara pyaú ñavõ eroatachina uka i
nde ra'y Jakaira Py'aguachu pe yvy rupa.
A'é va re aé, ñande ra'y kue i ry,
ñande rajy kue i ry oiko porã i va'erã."

"Em primeiro lugar, alojarás na coroa
de nossos filhos e filhas a neblina de teu frescor.
A cada Primavera farás circular por meio de teus filhos,
os Jakaira de grande coração,
a neblina de teu mistério pela morada terrena.
Pela virtude de desvendá-la, poderão nossos filhos
prosperar e poderão nossas filhas prosperar."

7.
A'e va'e rakykuégui:
"Karai Ru Ete, ndeé ave tataendy
mba'e porã i emboupa i ñande
ra'y jeayk pe, ñande rajy jeayú pe."

"Amigo Karai Ru Ete:
tu também farás que as chamas sagradas
se alojem em nossos futuros filhos
e em nossas futuras filhas."

"Va'e re, che ra'y Tupã Ru Ete,
mba'e ñemboro'y rã ano'ã va'e gui
ñande ra'y py'a mbyte py emboupa i."

"Por isso, amigo Co-Criador,
foste concebido com o frescor
para que te alojes no centro do coração
de nossos filhos e de nossas filhas."

"A'e ramo aé, yvy rupáre opu'ã
va'erã reta, jeayú porã i omombia
che ramo jepe oguerokatupyry i va'erã."

"Unicamente assim
os inúmeros seres que
se erguerão na morada terrena,
e que não se desviarem do verdadeiro amor,
viverão em harmonia."

8.

Mba'e ñemboro'y gui vy aé,
mborayú reko rã i a'e ague
momboaku aéi va'erã
ñande ra'y jeayú rã i
ñande rajy jeayú rã i.

Somente luzindo o líquido frescor
por entre as chuvas e trovões do amor
amarão nossos futuros filhos,
amarão nossas futuras filhas,
a correta medida deste calor.

9.

Ñamandu Ru Ete tenondé gua,
omoñeenói mba i ma vy gua'y ru
ete rã, gua'y ñe'eng ru ete rã, i
amba rã re aé aé i:
"Kova'e rakykuégui, apomoñeenói
rire ma, pene amba rã aé aé i re,
yvy re jeguakáva reko rã i, jachukáva
reko rã i pee aé peikuaáne."

O Grande Espírito Sagrado, o Primeiro,
designado por seus respectivos nomes
aos verdadeiros pais de seus futuros filhos,
os primeiros pais das palavras-almas futuras,
cada um virá de sua respectiva morada (disse):
"Depois de haver feito que os chameis pelos nomes,
cada um de vós em vossas moradas,
as leis que regerão na terra
os que levam a marca do masculino
e a marca do feminino,
vós as concebereis."

10.

Va'e rakykuégui, ombojeguaka-vy-apu gua'y
ru ete tenondé guápe, ombo-jachukavyapu
guajy chy ete tenondé guápe,
va'e rakykuégui aé yv" re opu'ã
rei reta va'erã oiko porã i ãguã.

Depois dessas coisas,
inspirou o canto sagrado do homem aos pais primeiros,
inspirou o canto sagrado da mulher às mães primeiras,
para que viessem no devido tempo
se erguerem em grande número na terra.

Comentários – Capítulo três

⊙◎◎

Yvy tenondé

A PRIMEIRA TERRA

Este capítulo trata da Mãe Terra, do seu surgimento e dos seus dons. Nesses versos a Mãe Terra surge da base do cetro do Criador, vivificada pelas chamas e neblinas do Grande Som Primeiro. As chamas são a manifestação de um cocriador, Karaí Ru Ete, assim como as neblinas são manifestações de outro cocriador, Jakaira Ru Ete.

O cetro forma o eixo da Terra, por onde flui a forma de uma serpente sagrada. O cetro aparecerá mais adiante no trabalho da criação como a coluna vertebral do ser humano. Os ossos da coluna são muito importantes para a tradição ancestral. Entre os Guarani, existe a expressão "tornar-se erguido", que significa "reger o cetro da vida, criar a realidade como o Criador gera Mundos, com a consciência do poder". Erguer-se é tornar-se consciente de seus valores mais profundos.

Além do eixo, são erguidas as quatro colunas de sustentação da Terra: o nascente, o poente, o sul e o norte. Os antigos pajés chamam também veladamente de "as quatro respirações da Grande Mãe".

Os seres que definem a primeira paisagem da Terra são, além de seu próprio espírito-serpente, o girino, o gafanhoto, o peixe e o inambu, que por meio de suas ações vão contornando o eixo da Terra e perfazendo o plano material.

Uma vez edificado o plano material, tomam posições em suas respectivas moradas (leste, oeste, norte, sul e céu) os cinco Seres-Trovões, os espíritos cocriadores: Jakaira Ru Ete, Karaí Ru Ete, Tupã Ru Ete, Ñande Cy Ru Ete e Ñamandu Ru Ete.

As moradas sagradas *(amba)* são marcadas por cinco palmeiras azuis que se erguem nas quatro direções e no centro. A palmeira é um dos seres de grande responsabilidade e de poder para a tradição. No reino vegetal ela representa o mesmo que o colibri e a coruja no reino animal. Ela é a "Senhora Erguida", com suas folhas em plumas. O azul é a cor do céu, o poder maior do Ser.

Os Pais Primeiros, como são chamados, também se responsabilizam pela criação do ser humano. Tupã Tenondé, que se desdobrou em Seres-Trovões, que colaboram criando mundos e constelações, agora prepara um cocriador para a morada terrena. Desdobrará em Tupy.

A palavra *tupy* hoje está associada a uma etnia. No entanto, ela significa literalmente: *tu* = som e *py* = pé, assento *(apy, apyka)*. *Tupy* quer dizer "som-de-pé", ou seja, o ser humano. Uma tonalidade da Grande Música Divina colocada em pé, encarnada, dentro de um assento chamado corpo-carne, para entoar a criação no mundo terreno, para ser na Terra o que sua essência sagrada é no céu – escultor, tecelão, cantor e transformador da vida.

Símbolo milenar que significa *Ñande Cy*
(A Terra, o mundo material, o Quatro)

CAPÍTULO QUATRO

Oñemboapyka pota jeayú porangue i rembi rerovy'a rã i

ESTÁ-SE A DAR ASSENTO A UM SER PARA ALEGRIA DOS BEM-AMADOS

1.
"Jeguakáva porangue i,
jachukáva porangue i
ñembo-rerovy'a arã i
ijapyka pota ma vy,
ñande yvy py emondo
ñe'eng porã imopyrõ vy,
e'i Ñande Ru Tenondé
gua'y Ñe'eng Ru Ete py."

"Quando está por tomar assento um ser que alegrará
os que levam a marca do masculino
ou a marca do feminino,
envia à terra uma palavra-alma boa para que encarne,
disse nosso Pai Primeiro aos verdadeiros
pais das palavras-almas filhas."

2.

"A'e ramo katu,
ñande yvy py remondo va'e
ñe'eng porã imopyrõ vy,
gui rami reroayvu porã i
jevy jevy ta:
'Néi, ereóta, ndeé, Ñamandu ra'y i,
erombaraete yvy rupa;
opa mba'e jórami gua eỹ
eỹ opu'ã avaete ramo jepe,
erero-py'aguachu va'erã'."

"Desdobrarás enviando palavras-almas boas
para que encarnem,
e quando elas se tornarem forma
aconselhas discretamente:
'Irás bem, filhinho do Grande Espírito,
considera com fortaleza a morada terrena
e, mesmo que todas as coisas, em sua diversidade,
apresentarem-se por vezes horrorosas,
deves enfrentá-las com valentia'."

3.

Mitã ñanembou ma vy:
"Néi, tereó yvy py", e'i
ñande arygua kuéry.
"Ne ma'endu'a ke che reé ne ãmy.
Aipo che reé aroñemongeta va'erã
che reé ne ma'endu'a ramo.

Quando enviam criaturas a nós,
aqueles que se situam acima de nós dizem:
"Irás à terra."
"Recordarás-te de mim em teu coração.
Assim eu farei que circule minha palavra
por haveres acordado a mim.

4.

A'e vare cheé aroñemongeta
va'erã che ra'y mbovy katu
eỹ cheé ano'ã va'e gui.

Assim eu farei que pronunciem
palavras aos inumeráveis
e excelsos filhos que abarco.

5.

Mby'aguachu apo a, mba'e
mbojaity a cheé ano'ã va gui jipói
va'erã yvy rupáre reí, che ra'y
mbovy eỹ reko acha arã.

Falar será vosso valor, calar será o mais alto.
O valor poderá ter a faculdade de conjurar malefícios
mas não dominará, em toda a extensão da terra,
a quem tentar sobrepor os inumeráveis filhos que eu abarco,
com parcos valores.

6.

A'e va re ndeé, yvy py ma
reikóvy, che amba porã re
ne ma'endu'a va'erã.
Cheé aroñemongeta ramo
nd'apytére, nde reko mboovái
arã jipói va'erã yvy rupa
reko achy re."

Por isso tu, enquanto habitares a terra,
de minha morada formosa haverás de recordar-te.
Eu inspiro palavras formosas em teu coração,
de modo que não podes igualar-te
às imperfeições da morada terrena."

7.

Mitã oiko ãguã ma, Ñamandu Ru Ete,
Jakaira Ru Ete, Karaí Ru Ete
ogueroñemongeta ma yvy rupáre
guemimoñe'eng.
Oguero-chareko ma ñe'eng o chy
rã i re, guú rã i re.

Para nascer uma criança,
o Grande Espírito, Jakaira Ru Ete, Karaí Ru Ete
discorreram essas orações sagradas sobre a morada terrena
com aqueles que haviam provido de palavra.
Desdobraram esquadrinhando almas,
tecendo aqueles que seriam futuros pais e mães.

8.

A rire ma, Ñamandu Ru Ete,
Karaí Ru Ete, Jakaira Ru Ete:
"Cheé, che ra'y namondo-uka
véiri ma va'erã; namboapyka
véiri ma va'erã."

Então os Seres-Trovões disseram:
"Nós e nossos filhos seremos revolvidos pela Terra
e nesse revolver proveremos palavras em pé pelo chão.
Sons andantes cantarão vidas, cada qual seu tom."

Comentários – Capítulo quatro

⊙◎◎◎

Oñemboapyka pota jeayú porangue i rembi rerovy'a rã i

ESTÁ-SE A DAR ASSENTO A UM SER PARA ALEGRIA DOS BEM-AMADOS

Este capítulo diz que o grande movimento da vida é qualificado como Amor incondicional e Sabedoria. É com base na qualidade do amor e na da sabedoria que o universo torna-se supraconsciente, consciente e subconsciente de si mesmo. Equilibra os mundos, sustenta as dimensões, gera o Cosmos.

O Grande Espírito torna-se Música Celeste, ritmo e movimento. Desdobra-se em Espíritos Cocriadores, chamados também de Seres-Trovões. Sonha e manifesta a morada terrena. Os Seres-Trovões estabelecem moradas espirituais nas quatro direções e agora recebem a responsabilidade de gerarem palavras-almas, tonalidades de suas essências, para encarnarem na Terra.

Quando nasce uma criança, diz-se: "Dar assento a uma palavra-alma". Os Seres-Trovões, deuses sagrados, expiram suas essências a partir de suas moradas e de seus elementos, qualificando o ser que será assentado, encarnado, ou, como também se diz, receberá da mãe a coluna, os ossos e o coração da vida terrena. O movimento da vida agora será impulsionado pela marca do feminino, com a marca do masculino atuando como dia e noite, sol e lua, macho e fêmea. O início e o fim se recriarão por meio das quatro estações, tecidas pelas quatro respirações da Mãe Terra. Nessa música sagrada, cada ser que nasce trará seu tom, portará sua coluna e se erguerá com o tempo, podendo tornar-se um coração – valoroso é o desejo dos Bem-Amados Mestres Trovões –, para que as qualidades supremas de amor e sabedoria que os ventos distribuem possam ser manifestadas no mundo terreno, assim como o é no universo.

Aqui aparecem os conselhos para o próximo desdobramento do Grande Som: *tupy*, o ser humano, palavra-alma. Inúmeros nomes serão criados. Cada nome é o lume de uma vida. Cada vida será semente para a Terra. Cada semente possui um tom próprio, mas levará a marca do masculino e do feminino, assim como levará os dons dos Seres-Trovões que habitarão no coração de cada semente como pai.

Estamos diante do mistério da encarnação humana. Os Seres-Trovões passam a tecer nomes (almas) após edificarem suas moradas por meio das palmeiras azuis nas quatro direções e no centro, em torno da Mãe Terra.

Quando os Seres Divinos saem do mundo espiritual e passam a habitar o mundo etéreo das quatro direções, mais próximo ao mundo material, para colocar a vida em movimento, polarizam-se com o *jasuka* (feminino) e o *jeguaka* (masculino). Cada um torna-se polar, refletindo duas marcas – daí a expressão *cy* para mãe e *ru* para pai.

Um nome é uma palavra-alma. Os nomes passam a ser entoados pelos deuses das moradas das palmeiras azuis, preparando-se para encarnar. A Mãe Terra mobiliza-se em seus quatro elementos – terra, água, fogo e ar para gestar as futuras sementes-luzes que irão povoar como reino humano no mundo terreno. A natureza repete toda a melodia do princípio do macrouniverso para iniciar a vida no microuniverso chamado Terra. Assim, a vida multiplica-se e espalha-se.

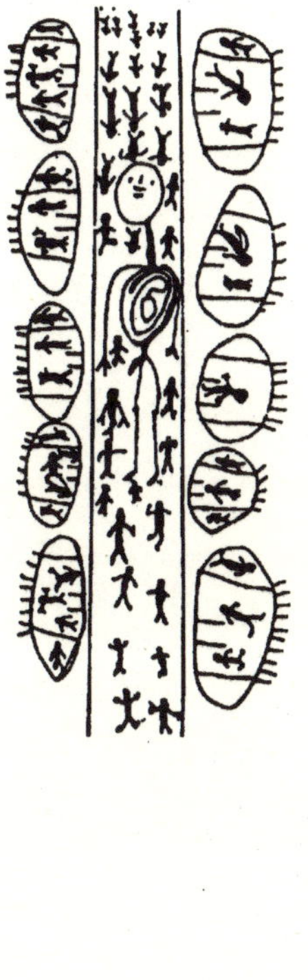

Os deuses tecem nomes

Os nomes mostram em que morada do mundo espiritual cada palavra-alma habita. Quando tornam-se carne, é necessário uma cerimônia para desvendar a essência-mãe de cada alma. Essa essência é o dom doado de cada divindade – pode vir com o poder do fogo, da terra, da água ou do vento; pode ganhar as qualidades da neblina, da flor, da madeira, do mel, das folhas verdes, dos campos, da pedra. Esses são os dons da palavra-alma, e a consciência desses dons favorece o caminhar da linguagem e do indivíduo na morada terrena, pois eles transmitem os temperamentos, os pontos fortes e fracos do ser.

Posfácio

Para haver século XXI

O índio foi imaginado pela mente ocidental do século XVI como uma cultura sem rei, sem fé, sem lei – assim registram alguns escritos da época. No século XX, a sociedade brasileira de maneira geral chama de índio o sujeito violento, bárbaro ou o miserável que mora em casas improvisadas. Chama de índio também os representantes das etnias que ainda vivem dentro da proteção de um ecossistema, como o amazônico ou o mato-grossense. Costuma qualificar o índio pela aparência (preferencialmente nua e pintada), pelo exotismo e sobretudo pela dificuldade de comunicação com a sociedade vigente.

Aqui existe uma visão de "índio" profundamente diferente, deixada pelos últimos grandes sábios da sociedade mais antiga desta terra que se estendia por todo o atual litoral brasileiro e mais Paraguai, Uruguai e Argentina.

Trata-se do milenar tronco Tupi.

Essa visão era a base de ensinamentos dirigidos a todos os que queriam tornar-se pajés. São cantos-poemas cifrados, outrora destinados a poucos, agora abertos a todos os que quiserem entender a grande natureza da Terra e a pequena natureza do ser.

As *"ñe'e porã tenondé"* – palavras formosas primeiras – foram registradas no começo do século XX, livres de influência científica ou religiosa desde a época de Colombo, livres da "civilização e seus preconceitos"; vindas de um povo de vestes rotas, restos da sociedade envolvente, de pés descalços e hábitos simples, elas atravessaram quase meio século e chegaram (em 1953) – algumas partes –, após autorização de um dos últimos pajés Jeguaka Tenondé, à Universidade de São Paulo como registro etnológico.

Na época em que se permitiu o registro desses ensinamentos, a humanidade havia feito sua primeira guerra mundial. Quando foram publicados, a civilização já havia acumulado uma segunda guerra; logo depois vieram: o desenvolvimento industrial, o progresso tecnológico, a desestabilização ecológica, e, no fechamento do século, as relações virtuais, a globalização, as experiências científicas fora da órbita da Terra.

Que são essas palavras sagradas? A visão do universo, do ser humano e da natureza, e do modo como essas três coisas estão irmanadas.

Certa vez, ao participar de um seminário sobre ética e valores humanos na cidade de Curitiba, em uma exposição do representante maior da cultura tibetana, o Dalai Lama, ele disse: "O mundo possui muitas mentes brilhantes, mas hoje o mundo precisa de corações brilhantes".

O valor da tradição do povo chamado índio está no fato de mostrar à atual sociedade que uma cultura ancestral destes lados da América teceu sistemas de vida e relações fundados na perspectiva de desenvolvimento e progresso de corações valorosos.

Assim, as palavras do sábio tibetano encontram ressonância nas práticas indígenas. Ao contrário do que o século XVI publicou e do tratamento que a mídia tem dispensado ao índio neste século que terminou, muitas culturas dessa diversidade étnica nativa podem contribuir para o desenvolvimento de corações brilhantes, por meio de seus valores e conceitos muitas vezes expressos em seus ritos e modos de vida, assim como estes, particularmente expressos pelos antigos Tupy na sua tradição oral, que os últimos grandes pajés do século XX permitiram registrar em meio à comunidade Guarani.

A atual geração tem o desafio de reequilibrar a natureza, repensar a tecnologia, descobrir economias autossustentáveis e sobretudo, redescobrir a arte de viver em tribo, a arte de viver suas afeições e expressões sagradas. Para isso, ela deve buscar entender a natureza, o universo e, consequentemente, o Ser.

Essas palavras formosas falam sobre isso – e falam sobre a formação de corações valorosos.

Comentários finais

Quem são os Guarani?

Os Guarani e sua longa caminhada pela Terra Sagrada

Se observarmos o atual mapa do Brasil e circundarmos as bordas que o delimitam: o oceano Atlântico, as Guianas, o Suriname, as cordilheiras dos Andes, o Paraguai, o Uruguai, a Argentina e a Patagônia, fechando o sul do Brasil (conforme mapas estampados nas páginas seguintes), temos exatamente a trajetória daquilo que passamos atualmente a conhecer como a "Nação Tupi-Guarani", delimitando nos quatro cantos a geografia brasileira e estendendo-se por vários países sul-americanos.

Essa trajetória levou entre 12.000 e 15.000 anos, segundo estudos e achados arqueológicos, e deixou rastros milenares, como as igaçabas marajoaras (cerâmicas com grafismos artísticos), as igaçabas funerárias (urnas funerárias), registros de alfabetos e escritas ancestrais como as itaquatiaras (grafismos registrados em pedras ou grutas).

Fonte dos mapas: Manuela Carneiro da Cunha (org.). *História dos índios no Brasil.* São Paulo: Companhia das Letras, Secretaria Municipal de Cultura de São Paulo, 1992.

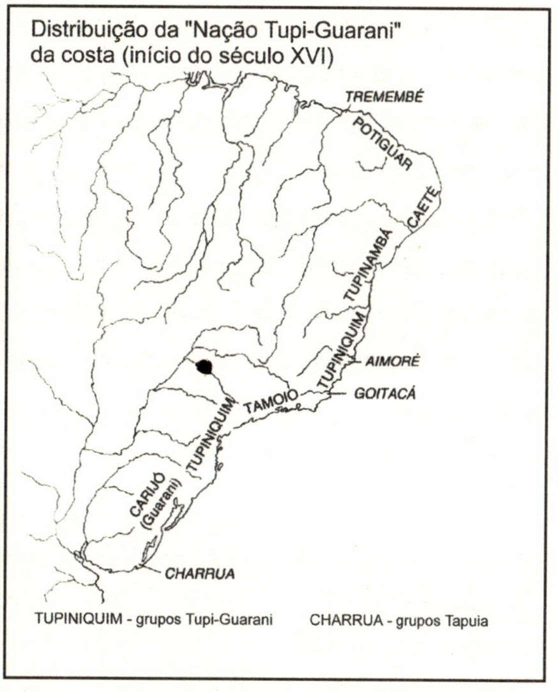

Essa imensa "nação" adquiriu matizes étnicos variados conforme a região e a época de sua migração e expansão e com o tempo receberia nomes atribuídos a uma diversidade étnica, como: Marajó, Tupinambá, Tupiniquim, Caeté, Guarani, Guaianá, Charrua, Chiripá, etc.

Dos tempos remotos, deixou mistérios e interrogações. O historiador paraguaio Moisés Bertoni, na década de 50, afirmava que os Guarani tinham ancestralmente uma escrita que era basicamente semelhante à egípcia e à hebraica.

Entre ciclos de milênios, houve várias etapas de apogeu, transformação e degeneração cultural, e as mais antigas são difíceis de precisar e até mesmo compreender seu processo. O século XVI foi o mais recente desses ciclos culturais marcados historicamente como o início da degeneração cultural. Nessa época ocorre a conquista da América do Sul por espanhóis e portugueses e revela o período de escravização dos índios Guarani, principalmente pelos portugueses e seus descendentes, que partiam de São Paulo; época em que se intensificam os então chamados "apresamentos", que ocorreram nas seguintes fases:

Séculos XVI-XVII	(1550-1700)	Apresamento por mar
Século XVIII	(1700-1750)	Apresamento por terra
Séculos XVIII-XIX	(1750-1850)	Apresamento e morte por guerras
Séculos XIX-XX	(1850-1950)	Período migratório (busca da Terra sem Mal)
Século XX	(desde 1950)	Degradação do ecossistema

A degeneração social dos Guarani deve-se à escravidão e às guerras que se sucederam nos primeiros trezentos anos de conquista. A imposição de uma religiosidade em detrimento da religiosidade nativa também afetou profundamente o ritmo cultural Guarani. Após esse período, em que os escravos Guarani foram substituídos pelos negros da África, surgiu o desequilíbrio ecológico, que continuou causando a esse povo consequências desastrosas do ponto de vista social e interferindo negativamente na sua cultura.

Entretanto, mesmo com as transformações por que os Guarani vêm passando, notadamente ao longo dos últimos cinco séculos, os seus valores sagrados – sustentados por sua cosmovisão – continuam fazendo parte da sua vida. Os cantos (*porã-hei*), a dança (*jeroky*), os nomes dos clãs e dos indivíduos, por exemplo, estão profundamente interligados à visão ancestral de mundo, fazendo do cotidiano de uma aldeia uma tradição sagrada.

Bibliografia

BERTONI, Moisés. *La civilización Guaraní.* Imprenta y Edición "Ex Sylvis", 1927.

CADOGAN, León. *Ayvu rapyta. Textos míticos de los Mbya-Guarani del Guairá.* São Paulo: Boletim nº 227 da Faculdade de Filosofia, Ciências e Letras da Universidade de São Paulo, Antropologia, nº 5, 1959.

CHILDRESS, David Hatcher. *Cidades perdidas e antigos mistérios da América do Sul.* São Paulo: Siciliano, 1987.

CHURCHWARD, James. *O continente perdido de Mu.* São Paulo: Hemus, 1994.

CLASTRES, Hèlene. *Terra sem Mal (O profetismo Tupi-Guarani).* São Paulo: Brasiliense, 1978.

CLASTRES, Pierre. *A fala sagrada – Mitos e cantos sagrados dos índios Guarani.* São Paulo: Papirus, 1976.

CUNHA, Manuela Carneiro da (org.). *História dos índios no Brasil.* São Paulo: Companhia das Letras, Secretaria Municipal de Cultura de São Paulo, 1992.

GONZÁLEZ, Natalicio. *Ideología Guaraní.* México: Ediciones Especiales, nº 37. Instituto Indigenista Interamericano, 1958.

LUCAS, Keler. *A arte rupestre no município de Florianópolis.* Florianópolis: Rupestre, 1992.

SCHADEN, Egon. *Aspectos fundamentais da cultura Guarani.* São Paulo: Edusp, 1974.

THEVET, André. *Les français en Amérique pendant la deuxiéme moitié du XVI siècle. Le Brésil et les brésiliens.* França: Presses Universitaires de France, 1953 (31 gravuras em madeira).

VIDAL, Lux (org.). *Grafismo indígena.* São Paulo: Studio Nobel, Edusp, Fapesp, 1992.

DICIONÁRIOS E ESTUDOS LINGUÍSTICOS

BUENO, Silveira. *Vocabulário Tupi-Guarani-Português.* Brasilivros, 1982.

GATTI, Carlos. *Enciclopédia Guarani-Castellano.* Assunção: Arte Nuevo Editores, 1985.

MAYANS, Ortiz. *Ñe'e ryru guasu, Karaiñe'e avañe'e (dicionário castellano-guarani).* Eudepa, 1973.

OSUNA & PERALTA, Jover. *Dicionário ñe'engueriru (guarani-espanhol).* Buenos Aires: Editorial Tupã, 1950.

RODRIGUES, Daniele M. Grannier. *Fonologia do Guarani antigo.* Campinas: Editora da Unicamp, 1990.

DEPOIMENTOS E ENSINAMENTOS DIRETOS

Revelações sobre a Terra – A memória viva dos Guarani. Universidade Federal do Espírito Santo, 1996. Depoimentos da aldeia Guarani de Tekoa Porã, Espírito Santo.

Ensinamentos de Werá (Epaminondas), Guirá Pepó e Karai Poty, década de 80. Aldeia de Krukutu, São Paulo, e aldeia da Barragem, São Paulo.

Depoimentos de Tupã Kuaray e Cunhã Karay Aurora, década de 90. Aldeia de Tekoa Porã, Espírito Santo.